LES ENQUÊTES D'ANATOLE BRISTOL

Mystères et Visages pâles

© 2013, éditions Auzou
24-32 rue des Amandiers, 75020 Paris - France

Direction générale : Gauthier Auzou
Responsable éditoriale : Maya Saenz-Arnaud
Assistante éditoriale : Emeline Trembleau
Conception graphique : Alice Nominé
Responsable fabrication : Jean-Christophe Collett
Fabrication : Bertrand Podetti

LES ENQUÊTES D'ANATOLE BRISTOL

Mystères et Visages pâles

Écrit par Sophie Laroche
Illustré par Carine Hinder

AUZOU *romans* **Pas de géant**

À Wimereux,
et à ma tribu du Nord.
Apaches Blondel, Sioux Dessaint, je vous aime.

S.

1 Bienvenue chez les Chtindiens !

Je savais que ça se passerait mal. Pas besoin pour le deviner d'être un grand sorcier apache qui lit dans la fumée ou qui provoque la pluie. Une classe découverte dans le Nord, franchement, ça vous tenterait ? Une vie d'Indiens près de Boulogne-sur-Mer, soi-disant dans le camp du grand chef Geronimo, vous y croiriez, vous ? Eh bien moi, pas du tout ! Non seulement

Boulogne-sur-Mer est une ville de pêcheurs, pas de western, mais surtout… on ne berne pas facilement Anatole Bristol, LE détective d'école qui a démantelé LE gang des farceurs.

C'est mon flair de détective qui m'a mis en garde : M. Bezault, le directeur de l'école, avait choisi notre programme. Et il suffit de voir ses cravates pour savoir que cet homme n'a aucun goût ! D'ailleurs, mes copains non plus n'ont pas bondi de joie à cette histoire de camp indien. Seule Philomène était contente de partir, parce que :

1. ELLE NE CONNAÎT PAS GRAND-CHOSE AUX INDIENS

2. ELLE NE CONNAÎT PAS DU TOUT
LE NORD DE LA FRANCE

3. ELLE VEUT TOUJOURS CONNAÎTRE PLUS DE CHOSES

Ses arguments ne nous ont pas convaincus, mais je les ai notés sur mes fiches bristol, réflexe d'enquêteur.

Hier matin, en prenant place dans le car, mon amie a quand même précisé :

— Que ce soit clair : j'aurais préféré aller aux États-Unis dans une réserve indienne pour vivre comme les gens du nord de la France plutôt que le contraire !

Et là, nous l'avons tous regardée avec de grands yeux écarquillés : Philo est très sympa, mais parfois elle est difficile à comprendre.

Pendant le trajet en car, j'ai quand même essayé de me convaincre : 24 heures par jour, fois 5 jours avec les copains, ça devait forcément faire des moments de rigolade…

Mais à peine étions-nous arrivés que les problèmes ont commencé. Notre maîtresse, Mme Appourchaux, a réalisé qu'elle avait oublié sa valise sur le parking du départ. Elle s'est énervée, a exigé que nous remontions tous dans le bus pour retourner chercher son bagage. Huit heures de route tout ça parce que la maîtresse est tête en l'air, c'était un comble ! Heureusement, le chauffeur a refusé. Mais cette histoire a mis notre enseignante de très mauvaise humeur. Mon intuition était juste : cette semaine allait être pourrie.

Au fait, j'ai oublié de vous préciser : depuis que nous sommes arrivés à Terlincthun (avouez que ça sonne plus Grand Nord que Far West[1]

---

1. Far West signifie en anglais l'« Ouest lointain ».

comme nom !), Mme Appourchaux s'appelle désormais « Grande Ourse Sage ». C'est une des règles du village Geronimo : nous avons tous dû prendre un nom d'Indien. Moi, j'ai choisi Nuage Gris. Comme ça, tout le monde sait comme je suis heureux (tu parles !) d'être ici…

Bon, j'exagère un peu. Jusqu'à ce matin, ça n'allait pas trop mal. Chti Futé, le faux Indien du Nord qui encadre notre classe, est très sympa. Il a juste l'affreuse manie de parler sans conjuguer les verbes, pour faire plus vrai. Moi, je n'y crois pas du tout parce que :

1. IL N'EST PAS PLUS INDIEN QUE JE SUIS CH'TI
2. LES INDIENS NE SONT PAS DES IDIOTS, ILS SAVENT CONJUGUER, À PART DANS LES VIEUX FILMS

Autour du feu de camp, hier soir, il ne faisait pas froid du tout. Le ciel, sans nuages, était étoilé. Comme quoi, ce qu'on raconte sur le Nord n'est pas vrai : il n'y pleut pas tout le

temps. Chti Futé nous a appris un chant indien. C'était joli, mais impossible de savoir si c'était de la vraie langue indienne ou s'il inventait tout ! Alors, avant de me coucher, j'ai créé une fiche Chti Futé, et j'ai recopié tous les mots dont je me souvenais. Si c'est un imposteur, Anatole Bristol le démasquera !

Puis j'ai ouvert mon carnet et j'y ai consigné tous les événements de la journée. Je sais, un journal intime pour un garçon, ça craint. Mais j'ai vraiment pris goût à raconter mes aventures par écrit depuis que j'ai démasqué le gang des farceurs de mon école. Alors j'assume ! Enfin, à la maison avec mes parents. Devant les copains, c'est une autre histoire. Ils se moqueraient de moi s'ils apprenaient que je raconte ma vie, et en plus sur un carnet, même pas sur une page Facebook comme le font nos grands frères et sœurs. C'est pour ça que je n'ai sorti mon journal hier soir qu'une fois la lampe à huile éteinte et mes copains endormis dans le tipi. Je ne sais pas si vous avez déjà essayé d'écrire dans l'obscurité, croyez-moi, ce n'est pas facile ! Mais j'y suis arrivé. Bon, j'ai beaucoup résumé la journée mais l'essentiel y était. Satisfait, je me suis endormi sous ma tente indienne et je n'ai même pas trouvé que le sol était trop dur.

Ce matin en revanche, dès le réveil, j'ai compris qu'il y avait un énorme problème :

mon journal intime avait disparu ! Je suis abso-
lument-archi-certain de l'avoir remis dans le
fond de ma valise. Pourtant, ce matin, plus de
journal. Et personne à qui m'en plaindre…

Sur la piste d'Aigle Royal

Même tracassé par la disparition de mon carnet, j'ai éclaté de rire en retrouvant Grande Ourse Sage, notre institutrice au petit déjeuner. Comme elle n'avait pas sa valise, Chti Futé l'avait dépannée. Et pas de doute… les peaux de bêtes, ce sont des vêtements de rechange qui vous changent ! Nous rigolions tous tellement que nous avons oublié de protester quand on nous a servi du lait même pas pasteurisé qui sortait de grands bidons en ferraille et pas de bouteilles en plastique hermétiques. Et franchement, ce lait qui arrive tout chaud de la traite des vaches, ça surprend au début, mais c'est… vachement bon !

Au programme de la journée, équitation. J'aime les chevaux, même si je ne les connais pas très bien : en général, je n'en vois qu'au Salon de l'agriculture de Paris. (Mes parents m'y emmènent tous les ans : ils ont trop peur qu'en grandissant en région parisienne je ne sache pas reconnaître une poule d'une dinde une fois adulte !)

En pleine nature, les chevaux sont beaucoup plus beaux. Quel plaisir de les brosser, de caresser leur encolure, de décrotter leurs sabots même, avant de les enfourcher ! J'ai préparé un superbe double-poney à la robe bicolore qui s'appelle Siki. Une fois prêts, nous nous sommes tous regroupés à l'entrée de la prairie, pour écouter les instructions de Chti Futé. Ses phrases où s'emmêlaient ses verbes à l'infinitif étaient tellement drôles que nous pouffions tous. Les chevaux aussi retenaient difficilement leur rire, je le voyais bien à leurs babines retroussées ! Seule Grande Ourse Sage n'avait pas l'air de trouver ça drôle. Elle n'allait quand même pas bouder tout le séjour ? C'était aussi la seule à ne pas être en selle…

— M'dame… Grande Ourse ! Pourquoi vous n'avez pas de cheval ? a demandé à cet instant Gabriel, ou plutôt Hibou Hilare.

Mon copain était aussi observateur qu'Anatole Bristol !

— Euh… ben… comment te dire… tu vois… J'AI TROP PEUR D'EUX ! a finalement hurlé notre maîtresse.

Grande Ourse Sage effrayée par des chevaux ! Mais alors pourquoi nous a-t-elle emmenés ici ?

— C'est le directeur qui a choisi la destination, a rappelé notre institutrice à Gazelle Sensée, alias Philomène, qui lui a posé la question.

— Vous rester là. Moi emmener petits Sioux en balade, a dit Chti Futé.

En temps normal, notre maîtresse ne supporte pas que nous écorchions les conjugaisons.

Mais là, un grand sourire s'est affiché sur son visage : la proposition de Chti Futé l'a vraiment soulagée.

— Oui, très bien ! Mais vous partir pas loin, pas longtemps et enfants rester bien en rang sur chevaux ! lui a-t-elle répondu dans un souci touchant de partager sa langue.

Nous sommes partis dans la prairie… en file indienne forcément ! Au début au moins, parce que rapidement, les chevaux se sont dispersés, formant un groupe qui ressemblait plus à un troupeau sauvage qu'à un rang d'élèves. C'était… fantastique. Sur mon double-poney à la robe sauvage, que je montais à cru, je me prenais pour le grand chef Geronimo, je sentais le vent dans mes cheveux, je percevais même l'air marin qui se mêlait à l'odeur de l'herbe et de ma monture. Il me faudrait me souvenir de tout pour le noter dans mon journal… mon journal disparu ! À cette pensée, toute la magie du moment est partie en fumée. Gazelle Sensée a bien senti que quelque chose n'allait pas, elle n'a pas arrêté de me demander ce qui m'arrivait. Mais même à elle, je ne pouvais rien dire : elle ne se serait pas moquée de mon journal intime, mais aurait demandé à le lire. Or, quand je l'ai rencontrée, j'ai trouvé que Philo était une intello à lunettes barbante et ennuyeuse. Et j'ai écrit tout ça dans mon journal. Il faudra que je pense à arracher la page si je le retrouve. Si…

Siki n'a pas apprécié que je me perde dans mes pensées et, pour me le signaler, le cheval m'a envoyé valdinguer dans l'herbe fraîche. À cet instant, allongé sur le sol, j'ai croisé le regard perçant d'Aigle Royal. Aigle Royal, tu parles ! C'est en réalité Félix, mon pire ennemi.

Je le déteste parce que :

1. C'EST LE SEUL GARÇON DE LA CLASSE QUI CONTINUE À M'APPELER ANATOLE-POT-DE-COLLE

2. IL M'A DÉNONCÉ QUAND J'AI TRICHÉ (C'ÉTAIT LA

Il affichait un si grand sourire que j'ai eu une révélation : il ne se réjouissait pas seulement de ma chute, il jubilait parce qu'il savait que, dans ce camp soi-disant indien, je n'avais pas perdu que l'équilibre.

Le vol de mon journal intime, à tous les coups, c'était lui !

Cette découverte m'a redonné le moral et j'ai finalement passé une très bonne journée. Cette nuit, j'allais m'introduire dans le tipi d'Aigle Royal et récupérer mon bien. S'il refusait de le libérer de ses serres, je me battrais à mains nues, comme un vrai Indien courageux !

3   Frères de sang

Une fois la nuit tombée, l'Indien se sentait déjà bien moins vaillant. Le camp était situé en pleine campagne et, loin des lumières de la ville, je ne pouvais me guider qu'à la lueur de la lune. Heureusement, le ciel était de nouveau dégagé. L'astre de la nuit affichait une large face qui m'éclaira assez pour retrouver le tipi d'Aigle Royal, repéré dans l'après-midi (réflexe de détective !). J'y étais presque quand un rugissement effroyable me pétrifia : sans doute un de ces ours sauvages que les trappeurs chassaient au Canada ! Oh la la, ce n'était pas annoncé dans la plaquette, ça ! Surtout, garder son sang-froid, son sens de l'analyse et l'oreille bien tendue. En fait de terrible grizzly… ce n'était que Grande Ourse Sage qui ronflait sous sa tente !

Rassuré, je me faufilais prestement dans le tipi de mon ennemi. Pas difficile de repérer son coin : c'était celui qui n'était pas rangé. Son sac était retourné et ses vêtements éparpillés tout autour de la peau de mouton qui nous sert ici de couchage. (Je suis d'accord avec vous, les troupeaux de moutons, on n'en voit pas non plus dans les westerns !) Je ne sais pas si c'est à force d'imiter les Indiens, mais j'arrivais à progresser dans l'obscurité sans faire le moindre bruit. Aigle Royal et ses compagnons de tipi dormaient profondément. Comme j'aurais aimé le réveiller en sursaut ! J'imaginais sa tête si je me penchais vers son oreille et me mettais à hurler.

— Ah ah, au secours ! Au se…

Oui, j'avoue, c'est moi qui ai crié ! Une bête terrible m'enserrait la cheville. Sa patte me bâillonna la bouche.

— Tais-toi idiot ! Tu vas réveiller tout le monde. Je t'attendais, murmura à mon oreille Aigle Royal.

Comment ça, cet imbécile m'attendait ? Je comprenais tout : il savait que je viendrais chercher mon journal et il m'avait guetté ! J'ai saisi son poignet de la main et d'un geste que je voulais fort, me suis libéré la bouche. Sauf qu'Aigle Royal a décidé de lâcher au même instant, et dans l'élan, ma main a frappé le sol. La douleur a transpercé ma paume, et j'ai ressenti soudain une grande lassitude : je voulais rentrer chez moi, retrouver ma maman ! (Ne le répétez pas, je compte sur vous…) Seulement, dans ce tipi, je devais me comporter en Indien. Alors j'ai ignoré les larmes qui me chatouillaient les yeux et j'ai fixé ceux de mon ennemi :

— Pourquoi tu m'attendais ?

— Parce que maintenant que tu sais pour mon lapin, je me doutais que tu reviendrais fouiller mes affaires !

Alors là, je ne comprenais plus rien du tout. Je venais récupérer mon journal intime et Aigle

Royal me parlait d'un lapin ! Devant mon éton-
nement, le garçon s'est détendu :

— C'est pas toi qui as volé mon lapin en
peluche ?

— Ton lapin en peluche ? me suis-je
exclamé, avant de me reprendre et de l'interroger à mon tour : C'est pas toi qui m'as piqué
mon journal ?

— Ben non…

Nous étions tellement surpris que nous en
avons oublié tous les deux que, normalement,
puisque nous nous détestons, nous ne nous
adressons pas la parole. J'ai raconté à Félix la
disparition de mon carnet, il m'a expliqué qu'il
dormait avec un doudou, qu'il avait veillé à bien
le cacher : à son âge, c'était la honte ! La nuit
dernière pourtant, quelqu'un avait pris son lapin.

Que se passait-il dans cet étrange camp
indien ?

Félix jugea bon de me menacer :

— Je te jure que si tu le racontes à qui que ce soit, je m'occuperai de toi !

Puis, est-ce la lune ? L'ambiance si particulière de ce tipi ? Aigle Royal et moi avons scellé un étrange accord : je ne trahirai pas son secret, il ne trahira pas le mien. Ensemble, nous allons percer le mystère de ces visites nocturnes dans nos tipis. En temps normal, le célèbre Anatole

Bristol n'a pas besoin de l'aide d'un crâneur qui dort en réalité avec un vieux doudou ! Mais bon… nous n'étions pas tout à fait en temps normal. Et je ne voulais pas mêler Philo à l'enquête, elle ne devait pas mettre la main – et donc les yeux ! – sur mon journal. Aigle Royal a sorti un petit canif de son sac. Pourquoi avait-il besoin de ça maintenant ? Il a appuyé la lame contre l'extrémité de son index, et une goutte rouge a jailli.

— Frères de sang, m'a-t-il proposé.

— Frères de sang, ai-je acquiescé.

Waouh… que de changements !

— Mais juste le temps du camp. Dès qu'on redevient Félix et Anatole-Pot-de-Colle, on se déteste à nouveau !

— Marché conclu !

Eh oui, il ne fallait pas exagérer quand même…

4 La chevauchée sauvage

Je bâillais beaucoup au petit déjeuner. Aigle Royal aussi. J'hésitais un peu avant de dire bonjour à mon pire ennemi, mais un petit picotement au bout du doigt me rafraîchit la mémoire : frères de sang… Grande Ourse Sage, elle, semblait en pleine forme. Je souris en repensant à ses ronflements. Le lait était encore meilleur que la veille, mais nous n'avons pas vraiment eu le temps de le savourer, car Chti Futé est entré en hurlant sous le chapiteau où nous déjeunions :

— Les chevaux, les chevaux, ils sont tous partis !

Avant de se reprendre :

— Euh… chevaux partis, porte ouverte et chevaux sauvés !

Indien… mon œil !

— Comment ça les chevaux se sont échappés ? Comment est-ce possible ? La porte était mal fermée ? Qui l'a fermée hier soir ?

Grande Ourse Sage, qui avait une moustache blanche de lait, enchaîna les questions sans la moindre pitié pour le pauvre Chti Futé. Ça prend du temps de répondre sans conjuguer les verbes ! Le responsable de notre camp n'écouta pas notre maîtresse jusqu'au bout : il était déjà reparti près de l'enclos, entouré par une bande d'enfants surexcités. Je dois reconnaître que j'en faisais partie. Disparition de chevaux, c'était un dossier pour Anatole Bristol, détective d'école ! Tandis que tout le monde continuait à s'agiter, j'examinai la porte de l'enclos et je notai un détail important. Bon, d'accord, je vais être honnête, c'est Gazelle Sensée qui a attiré mon attention sur ce point.

— Ana… Nuage Gris, regarde le verrou.

— Qu'est-ce qu'il a ? Il est intact. Et aucune chance de relever des empreintes, je n'ai pas ce qu'il faut.

— OK, je vais te l'expliquer autrement : essaie de le toucher.

Et là, j'ai bien été obligé de constater que Philo avait bien choisi son nom d'Indienne : elle avait mis le doigt sur un point crucial qui m'avait complètement échappé. Cette serrure était beaucoup trop haute pour que je la touche, même en me mettant sur la pointe des pieds. À peine pouvais-je effleurer le métal gris.

— Elle a été installée là pour qu'aucun enfant n'entre ou ne sorte de l'enclos, a commenté Philo.

— Et elle a donc été ouverte par un adulte ! ai-je conclu.

Ce qui limitait la liste des suspects… mais compliquait l'enquête. La maîtresse avait peur des chevaux et Chti Futé n'avait aucun intérêt à égarer ses bêtes ! Il y avait bien deux dames qui travaillaient aux cuisines, mais je ne les imaginais pas non plus s'en prenant aux chevaux…

Chti Futé, lui, ne cherchait pas pour l'instant qui avait bien pu ouvrir la porte à ses animaux, mais plutôt comment les récupérer.

— On n'a qu'à prendre les vélos, a proposé Hibou Hilare, la version indienne de Gabriel. Comme ce sont des VTT, on peut rouler dans la prairie avec, on ira vite.

J'ai trouvé que c'était une très bonne idée !

— Oui, mais comment tu vas faire quand tu vas te retrouver avec, d'un côté le vélo, et de l'autre, le cheval ? Tu ne peux pas ramener les deux, a fait remarquer Philo.

J'ai pensé que c'était aussi une remarque pertinente…

— Vélo bonne idée ! Prenez les longes des chevaux, nous voir comment on se débrouillera pour ramener chevaux une fois qu'on les aura rattrapés.

Chti Futé, bilingue sous le coup de l'émotion, nous a distribué les sangles, que nous avons enroulées autour de nos torses pour qu'elles ne se prennent pas dans les roues de nos vélos. Nous avons enfourché nos montures d'acier et

sommes partis à travers la prairie. C'était moins exotique que la balade de la veille, mais tout aussi excitant : nous partions capturer des chevaux en liberté !

Bon, en réalité, les « chevaux sauvages » s'étaient tous regroupés près du petit bois, là où se trouvait l'abreuvoir qu'ils utilisaient lors des sorties. Aucun n'a cherché à fuir quand nous nous sommes approchés, et j'ai été un peu déçu. J'aurais aimé que Siki se montre un peu plus rebelle… Nous sommes rentrés à pied, un vélo dans la main, la longe dans l'autre. C'était un peu bizarre comme promenade, pas très pratique, mais je me suis consolé en pensant que cette porte de l'enclos ouverte était une énigme qui s'ajoutait à la disparition de mon carnet et du doudou d'Aigle Royal.

Le chômage d'Anatole Bristol était bien terminé.

5 Dans le mille !

C'est vrai, je le reconnais, mon enquête piétinait… mais je tiens à rappeler que je suis détective d'école : chercher des indices en pleine nature, dans un camp indien du Nord, ce n'est pas du tout ma spécialité. Pour tout arranger, j'avais perdu mes fiches bristol sur tous les élèves de ma classe, puisqu'elles étaient rangées dans mon cahier volé. Enfin, j'ai eu très peu de temps à consacrer à mes investigations. Une fois les chevaux dans l'enclos, Chti Futé nous a annoncé, dans un indien parfait cette fois, l'activité de la journée : tir à l'arc. Attention, pas avec des petits arcs en plastique et des flèches à bouts ronds qui collent aux vitres, non… Ce sont de véritables armes que l'animateur nous a mis entre les mains. (Ce qui n'a pas du tout rassuré Grande Ourse peut-être sage mais pas vaillante !) Les cibles, elles, étaient en paille, et installées à au moins… quatre cents mètres de distance !

— Anatole, tu exagères, elles sont au maximum à 25 mètres, a corrigé Gazelle Sensée. Si tu veux, on peut vérifier en marchant, mon pas fait un mètre, je l'ai déjà mesuré.

— Ici, tu dois m'appeler Nuage Gris, ai-je rétorqué, vexé.

Tant que ce n'est pas dans une enquête, j'ai bien le droit d'arranger un peu la vérité, non ?

En tout cas, je ne mens pas en racontant que je me suis très bien débrouillé au tir à l'arc. Après nous avoir enseigné les rudiments, Chti Futé a organisé un concours, et je suis parvenu en finale, contre… Aigle Royal.

J'ai tiré ma flèche… au centre de la cible. Dans le mille ! Gazelle Sensée en a bondi de joie.

Aigle Royal s'est concentré, a fermé un œil, a attendu. Oh, il pouvait faire autant de cinéma qu'il voulait, sa flèche ne pouvait pas être mieux placée que la mienne. J'allais gagner cette compétition. Nous avons entendu la corde de son arc claquer dans le silence, et sa flèche… sa flèche… sa flèche a coupé la mienne en deux ! Comment a-t-il pu réussir un coup pareil ? Aigle Royal avait vaincu Nuage Gris, c'était indéniable. Heureusement, il n'en a pas profité pour frimer et se moquer de moi. Alors, bon joueur, je l'ai félicité.

Le soir, Chti Futé a allumé un grand feu de camp, et nous a montré comment les Indiens dansaient pour fêter leurs meilleurs chasseurs ou guerriers. Aigle Royal s'est assis, et nous sommes tous passés devant lui en tournoyant. Quand l'animateur lui a remis la grande plume d'aigle du meilleur tireur, je reconnais, j'ai été jaloux. Hé, je vous rappelle qu'hier encore ce garçon était mon pire cauchemar, et que, cet après-midi, il m'avait arraché une victoire que j'avais crue certaine. Mais notre animateur, fin observateur, est allé en chercher une seconde qu'il m'a offerte.

— Savoir perdre quand très fort aussi grande qualité, m'a-t-il assuré.

J'ai rougi… et sans doute pas seulement à cause des flammes de ce feu si beau. Ce drôle d'Indien s'est relevé, et s'est remis à danser :

— Moi montrer petits Apaches danse de la pluie. Très important savoir faire venir la pluie !

Les filles se sont levées et se sont mises à virevolter avec lui.

— Les filles, allez-y doucement ! a ironisé Grande Ourse Sage. S'il pleut demain, vous serez bien ennuyées.

Elle affichait un grand sourire. Sans doute parce que, pour elle, pluie signifiait pas d'équitation et de tir à l'arc ! Mais avec des danseuses aussi peu synchronisées, ce n'était pas la pluie qui nous menaçait, mais carrément la neige !

Quand nous nous sommes couchés, mes camarades de tipi commentaient encore l'exploit d'Aigle Royal au tir à l'arc. Bon, nous pouvions quand même changer de sujet, non ? Ils

ont fini par s'endormir et j'ai sorti mon cahier de brouillon pour y noter les événements de la journée. Même si j'avais perdu mon journal, il fallait que je garde une trace écrite de tout ce qui se passait dans ce camp si je voulais en percer les mystères. Mon attention a alors été attirée par des éclats de voix à l'extérieur. Des per-

sonnes se disputaient… Je suis sorti. Les voix provenaient de la tente de Grande Ourse Sage.

— Je n'ai rien voulu dire devant les enfants, mais les envoyer à la recherche des chevaux à vélo, c'était complètement inconscient ! s'énervait notre maîtresse.

— Il fallait bien que nous récupérions en vitesse nos chevaux, et il n'y a eu aucun blessé, a répondu la voix de Chti Futé, qui apparemment parlait le français couramment.

— Vos bêtes auraient pu, je ne sais pas moi, les mordre ! Les piétiner ! Je vais appeler votre direction, je vais leur rapporter votre négligence !

— Sachez, madame, que je suis mon propre patron. Et que pour passer un coup de téléphone, il faudrait que vous ayez votre chargeur de téléphone, resté dans votre valise où il y avait aussi toutes les fiches sanitaires des enfants. Si vous voulez parler de négligence, commencez par vous-même !

— Mais c'est... c'est... scandaleux ! Vous me menacez ?

— Non, c'est vous qui avez commencé. Je crois surtout que vous avez une grande peur des chevaux, je l'ai vu dès le premier jour. Et vous n'étiez pas plus fière cet après-midi au milieu des arcs et des flèches ! Comment vous vous êtes retrouvée à accompagner ce camp, je ne veux même pas le savoir. Mais ne me faites pas assumer vos propres peurs. On ne s'en prend pas impunément à Chti Futé.

Grande Ourse Sage n'a rien répondu. L'animateur avait cloué le bec à notre maîtresse. Ça alors ! Il est sorti de la tente, et je me suis vite allongé dans l'herbe fraîche pour ne pas être surpris. J'ai attendu qu'il s'éloigne, je suis rentré dans mon tipi, et j'ai sorti mon cahier de brouillon. Tant pis si, dans la pénombre, j'écrivais de travers. Ce n'était qu'un cahier de brouillon, et je ne devais perdre aucune miette de cette conversation. Le ton de Chti Futé avait quand même été très menaçant...

Dès le lendemain matin, j'ai eu la confirmation que mon intuition était juste. Mon arrière-grand-père, ce brillant détective, serait décidément très fier de moi ! Le jour commençait à peine à se lever quand mes camarades et moi avons été tirés du sommeil par un cri strident.

— AAAAAAAAAAAAAHHHHHH !

Malgré la panique qui la poussait encore plus dans les aigus, j'ai tout de suite reconnu la voix de Grande Ourse Sage. J'ai bondi hors du tipi, et j'ai vu notre maîtresse, au milieu des tentes. Elle portait une longue tunique en daim, avec une ceinture très colorée. Ce n'était pas une tenue traditionnelle de maîtresse, tout le monde sera d'accord là-dessus. Mais j'ai surtout été très intrigué par la flèche qu'elle brandissait.

6 Le mystère s'épaissit...

— Il a menacé de me tuer ! Il a menacé de me tuer ! s'est mise à hurler Grande Ourse Sage. J'ai retrouvé cette flèche posée sur mon oreiller, la pointe tournée vers ma tête !

— Mais de qui parle-t-elle ? a demandé, intrigué, Gabriel.

Comme nous tous, il assistait, en pyjama, au spectacle de notre institutrice en panique. Une légère pluie fine a commencé à tomber, ça rendait la scène encore plus bizarre ! Anatole Bristol voulait du mystère, il était servi !

Je savais, moi, de qui parlait Mme Appourchaux. J'ai attrapé Gazelle Sensée par la manche, je l'ai emmenée à l'abri des oreilles indiscrètes, et je lui ai raconté la scène de la veille.

— Tu crois qu'il a voulu l'intimider ? ai-je conclu. Son honneur d'Indien a été bafoué par les accusations de Grande Ourse Sage !

— Je ne sais pas… Tu disais toi-même qu'il ne te semblait pas très indien…

En effet. De plus, si chaque fois que deux adultes se disputaient, ça se finissait par des tirs de flèches, on n'aurait plus qu'à rester bien cachés, parce que ça partirait dans tous les sens !

Chti Futé, alerté lui aussi par les cris, est arrivé. Il a nié en bloc les accusations... Grande Ourse Sage, elle, a insisté pour qu'on appelle la police.

— Il faut relever les empreintes sur la flèche ! On m'a quand même menacée de mort ! hurlait-elle. Vous m'avez menacée de mort !

— Mais de qui parlez-vous ? a alors demandé la cuisinière.

— Mais de Chti Futé ! Hier soir, nous nous sommes disputés et, cette nuit, il a déposé cette

flèche sur mon oreiller, bien tournée vers mon visage, j'insiste !

— Ça, c'est pas possible, a alors dit une petite voix.

Nous nous sommes tous tournés vers Élodie, alias Pissenlit Fou.

— Pourquoi tu dis que ce n'est pas possible ? a demandé le plus calmement possible Mme Appourchaux.

Mais apparemment, ça lui coûtait.

— Parce que j'ai été malade cette nuit. J'avais mangé trop de dessert, j'ai eu mal au ventre, j'ai vo… Enfin bon, c'est pas ça qui vous intéresse, s'est reprise notre camarade. Chti Futé m'a entendue, il est venu me voir et s'est occupé de moi toute la nuit.

Grande Ourse Sage, sans doute touchée par cette histoire (après tout, c'était à elle de s'occuper d'une élève malade !) n'en a pas pour autant écarté tout soupçon.

— Peut-être que tu t'es endormie, Élodie. Peut-être qu'il est sorti…

— Oui, je me suis endormie. Dans ses bras, et j'y étais encore quand je me suis réveillée ce matin. Lui dormait encore profondément. Je le sais, car il ronflait…

— Franchement, vous croyez vraiment que je vous aurais menacée pour… pour… pour une simple divergence de point de vue sur une balade à cheval ?

Ça, ce n'était plus du tout de la langue indienne, mais les arguments ont fait mouche.

— En effet, ça paraît étrange, mais il faut tirer cette affaire au clair ! a insisté une Grande Ourse plus inquiète que sage.

Je ne sais pas si Mme Appourchaux a entièrement cru l'histoire d'Élodie. Moi, en tout cas, j'ai trouvé son récit bien sincère. Pissenlit Fou n'avait aucune raison de mentir et d'inventer un alibi à Chti Futé. En plus, Emma, qui partageait son tipi, a confirmé son récit. Il était grand temps qu'Anatole se mette très sérieusement au travail. D'autant plus que la mauvaise réputation du Nord nous avait rattrapés : la pluie qui s'intensifiait allait bientôt effacer tous les éventuels indices.

— Normal, tenta de nous faire croire Chti Futé, nous danser hier soir la danse de la pluie autour du feu.

Je soupçonnais plutôt que lui consulter la météo hier, apprendre qu'il allait pleuvoir, et nous faire son numéro de danse en conséquence ! J'insiste : les Indiens dans le Nord, je n'y crois pas.

Reste que Siki allait s'ennuyer dans son box aujourd'hui et nous, confinés dans nos tentes… Tu parles d'une classe découverte ! Je compris à la mine dépitée d'Aigle Royal qu'il partageait ma déception : ce n'était pas comme ça non plus que notre enquête allait avancer, et que nous allions retrouver nos objets perdus.

— On piétine, confirma Gazelle Sensée. Nous devons découvrir qui a libéré les chevaux et tenté de tirer sur la maîtresse. Cet endroit est décidément surprenant.

— Philo, il faut que je te parle, ai-je marmonné, tout penaud.

— Pourquoi tu fais cette tête-là ? m'a demandé, étonnée, mon amie.

J'ai pris Gazelle Sensée à part, et je lui ai tout raconté : le lapin en peluche d'Aigle Royal, mais surtout la perte de mon carnet... et forcément, ce que j'avais écrit dedans et qui expliquait mon silence. Philo m'a écouté sans m'interrompre une seule fois. Puis elle a dit :

— Quatre énigmes ! Anatole, tu te rends compte ! Il est urgent que tu te mettes sérieusement à ton enquête !

Abasourdi, je l'ai questionnée : elle n'était pas fâchée de savoir que je l'avais d'abord trouvée inintéressante ?!

— Tu as changé d'avis depuis, n'est-ce pas ?

— Oui, bien entendu ! me suis-je exclamé.

— Alors il n'y a pas de souci, a conclu mon amie, décidément très Philo... sophe !

— Tu as très bien choisi ton surnom de Gazelle Sensée, lui ai-je simplement murmuré.

Et j'ai rougi encore une fois. J'allais finir ce camp en vrai... Peau-Rouge !

7 Vent Salé souffle sur le camp

Gazelle Sensée et moi avons retrouvé nos camarades. Pluie oblige, Chti Futé les avaient réunis dans le grand tipi central, qui sert de lieu de réunion. La grande différence avec ceux où nous dormons, c'est qu'il y a un feu au milieu. Chti Futé nous a promis que le soir, il l'allumerait et nous raconterait une incroyable histoire indienne. Mais pour l'instant, il nous proposait une nouvelle activité : la fabrication d'attrape-cauchemars. Ce sont des objets décoratifs en bois, ornés de plumes, qui ont le pouvoir magique de chasser les cauchemars. Franchement, moi, je n'y ai pas cru. Mais cette activité allait me permettre de réfléchir tranquillement aux événements passés. Aigle Royal, lui, s'est lancé dans la fabrication de son attrape-cauchemars avec frénésie. J'en ai conclu que les nuits devaient être difficiles sans son lapin-doudou… Ça m'a d'abord amusé d'imaginer mon pire ennemi, incapable de s'endormir seul, se retournant sur la peau de bête qui lui sert de matelas. Puis finalement, je l'ai plaint.

Mais pas trop longtemps quand même, je devais me concentrer sur mon enquête !

Donc, si je résumais la situation :

PREMIÈRE NUIT : QUELQU'UN VOLE MON CARNET ET LE LAPIN EN PELUCHE D'AIGLE ROYAL.

DEUXIÈME NUIT : QUELQU'UN LIBÈRE LES CHEVAUX.

TROISIÈME NUIT : QUELQU'UN DÉPOSE UNE FLÈCHE
SUR L'OREILLER DE LA MAÎTRESSE.
CONCLUSION : LES MÉFAITS SONT TOUJOURS
COMMIS DE NUIT.
QUESTION : PAR QUI ?

Difficile de le savoir… C'était un adulte qui avait libéré les chevaux. C'était sans doute un enfant qui avait pris le doudou… Quant à la flèche, mystère… Si seulement je pouvais noter tout ça sur mon carnet !

Nous avons terminé nos attrape-cauchemars et les avons attachés à l'entrée de nos tipis.

La pluie s'intensifiait, et nous avons vite été trempés.

Feu promis chose due, Chti Futé a ravivé des braises encore rouges et nous a invités à nous asseoir en tailleur tout autour pour nous sécher. Un feu au centre d'un tipi, ça, ça ressemblait vraiment aux souvenirs que j'avais des films d'Indiens ! Notre hôte s'est installé, a approché une brindille du feu. Une petite flamme s'y est accrochée, et comme un marionnettiste, Chti Futé l'a déposée au bout d'un grand calumet. Grande Ourse Sage s'est mise à toussoter : c'était sa façon de lui signaler que l'on ne fume pas devant des enfants, même quand on est un grand chef indien. Chti Futé a vite aspiré une ou deux bouffées :

— Ce sont les herbes des ancêtres…

Tiens, tiens, il parlait de nouveau normalement ! Puis il a éteint son calumet.

— Elles me donnent le pouvoir de parler parfaitement votre langue, pour vous raconter l'histoire de Vent Salé. Vent Salé était le petit-fils du grand chef apache Geronimo. Son grand-père avait enterré la hache de guerre avec les Visages pâles à la fin de sa vie et sa tribu vivait désormais dans une réserve indienne aux États-Unis. Malgré tout, Vent Salé avait été

élevé dans les pures traditions. Il était gai et farceur, mais aussi très vif. Il avait été rebaptisé ainsi à l'âge adulte, car il rêvait de découvrir la mer. L'océan était bien loin de sa réserve, mais le jeune Indien a quand même réalisé son rêve. Malheureusement, dans de tragiques circonstances : comme il était citoyen américain, il a été enrôlé dans l'armée de son pays en 1917 et il est venu se battre auprès des Anglais sur nos côtes, pendant la Première Guerre mondiale.

— C'est n'importe quoi ! s'est exclamé Hibou Hilare. Les Indiens et les cowboys, c'est pas la même époque que la Première Guerre mondiale. Je le sais, parce que le grand-père de ma grand-mère a fait cette guerre, et il ne circulait pas en diligence tirée par des chevaux !

— Détrompe-toi Hibou Hilare ! Le grand chef apache Geronimo est mort en 1909. Et je t'assure que son petit-fils a été un vaillant guerrier.

Moi, étrangement, j'ai cru à cette histoire. Dehors, la pluie chantait sur les cailloux. Dans le tipi, le feu crépitait, il planait une odeur de peaux de bêtes humides et de fumées apaches. Je n'étais plus en classe découverte, je suivais, bien caché, Vent Salé dans sa traque de l'ennemi.

— Il scalpait les soldats adverses qu'il tuait et son colonel le lui reprochait, a poursuivi Chti Futé. Mais il ne savait pas se battre autrement.

Dans ces champs défigurés par les bombes, le valeureux Indien a été un exemple de courage pour ses compagnons de malheur, même si tous le craignaient un peu. Un jour, l'ennemi l'a pris par surprise. Un soldat lui a tiré une balle dans le dos.

J'ai sursauté en sentant une main sur mon bras. Mais ce n'était que Gazelle Sensée qui se cramponnait.

— La légende raconte que Vent Salé s'est retourné et qu'il a fixé droit dans les yeux le soldat allemand qui l'a tué. Que la balle a traversé son cœur et qu'une fois ressortie, l'Indien a levé les bras au ciel et a hurlé en apache une phrase que personne n'a jamais comprise. Mais la légende affirme aussi que son esprit n'est jamais reparti de ces terres, et qu'il hante notre campagne, défiant les lâches à enfin devenir des hommes.

— Et… il est mort où exactement ? s'est inquiété, d'une voix chevrotante, un Aigle plus très royal.

— Ici. Au milieu de nos tipis ! a répondu Chti Futé. Avant d'ajouter, sur un ton mystérieux : Voilà, l'histoire est finie… mais n'oubliez pas : la légende, elle, continue !

J'ai compris à son regard qu'Aigle Royal avait exactement la même idée que moi : et si c'était l'esprit de Vent Salé qui nous jouait ces mauvais tours ?

8

Roulés
dans la farine !

C'était sans doute l'esprit d'un Indien mort pendant la Première Guerre mondiale qui nous avait chapardé nos affaires, qui avait libéré les chevaux et déposé une flèche sur l'oreiller de notre maîtresse !

Et ma mère qui me répétait, avant le départ : « Petit veinard, tu vas t'offrir une semaine tranquille au grand air de la mer du Nord ! »...

J'ai attendu que tous mes camarades soient sortis du grand tipi pour livrer mes soupçons à Chti Futé.

— Esprit de Vent Salé souffler fort les nuits de pleine lune, prochaine nuit être pleine lune… m'a répondu mystérieusement Chti Futé.

— Et alors ? me suis-je impatienté.

— Et alors… Visage pâle interroger Vent Salé !

Les effets de la fumée s'étaient dissipés, Chti Fumé avait de nouveau repris goût à l'infinitif ! Mais je n'étais plus vraiment d'humeur à me moquer de lui. Son récit m'avait impressionné. Cette nuit, il nous faudrait confondre Vent Salé. Oui, mais comment attrape-t-on un esprit ? C'est la question que j'ai posée à Gazelle Sensée et à Aigle Royal.

— Il prend forcément corps à un moment, sinon comment pourrait-il prendre des objets ? a réfléchi à voix haute Aigle Royal.

— S'il est invisible, on le repérera jamais, lui ai-je répondu, dépité.

— On n'a qu'à lui tendre un piège pour le rendre visible !

— Mais on ne sait même pas où il va aller.

J'avais raison, mon ex-pire ennemi l'a reconnu, mais ça ne me consolait pas…

— La farine ! s'est soudainement exclamée Gazelle Sensée. Ils ont livré trois gros sacs de farine à la cantine ce matin, je les ai vus, pour qu'on fasse notre pain nous-mêmes demain. On n'a qu'à en accrocher dans un plastique à l'entrée de chaque tipi. Si quelqu'un pousse la couverture de la porte, il se prendra la farine. Et on verra alors Vent Salé !

— Oui, mais on n'est pas assez pour les cinq tipis !

Là, c'était Aigle Royal qui avait raison. Et ça ne le réjouissait pas non plus…

— Je sais ! s'est-il exclamé. Je vais demander de l'aide à Belette Farceuse, enfin à Nathan !

Nathan est le meilleur ami de Félix. Et, par conséquent, pas vraiment mon copain ! Je n'avais pas envie qu'il découvre l'existence de mon journal. Apparemment, Aigle Royal ne tenait pas non plus à lui parler de son lapin.

— On ne parlera pas de notre secret. On va

juste lui dire qu'on veut coincer le fantôme de
Vent Salé.

J'étais soulagé, jusqu'à ce que Gazelle Sensée souligne :

— Ça fait quatre, et il y a cinq tentes.

— Tu crois vraiment que Vent Salé va venir
chatouiller les orteils de Grande Ourse Sage ? a
demandé Aigle Royal.

Et nous avons tous ri, avant de nous disper-
ser. Nous avions… du pain sur la planche !

9 Où souffle un vent salé...

Aigle Royal est donc venu à notre rendez-vous avec son meilleur copain. Nous avons répété toutes les phases de notre plan : prendre la farine, la répartir dans des sacs plastiques, accrocher ces sacs de manière à ce qu'ils tombent dès qu'on les bouge. Belette Farceuse et Aigle Royal se sont enfariné le visage en imitant les Indiens qui partent à la chasse. Au début, ça m'a énervé : nous n'étions pas là pour nous amuser. Puis même Gazelle Sensée a commencé à jouer avec eux, et je me suis dit qu'après tout Aigle Royal était aussi, sans doute, un chouette ami. Ça semblait en tout cas être l'opinion de Belette Farceuse…

Le soir venu, nous avons attendu que tous les Indiens et Visages pâles de ce camp s'endorment. Nous avons mis en place nos pièges : les sachets pleins de farine étaient accrochés aux attrape-cauchemars. Gare à celui qui y toucherait ! Puis chacun a rejoint son poste de garde.

Vent Salé, tu peux venir, je t'attends !

Le voilà ! Là, devant moi, chevauchant… Siki ! Le guerrier me regarde droit dans les yeux, le cheval se cabre. L'Indien va-t-il charger ? Me scalper ? Au secours ! Pourquoi il… il éclate de rire ?

Et… CENSURÉ ! Je m'étais endormi devant mon tipi ! Restait à espérer que Vent Salé n'était pas passé. Et... RE-CENSURÉ, il y avait de la farine partout ! Tout penaud, je suis allé rejoindre Gazelle Sensée. Mais elle n'était pas non plus à son poste de garde. Je l'ai retrouvée auprès de nos deux complices, devant le tipi gardé par Belette Farceuse. Je n'étais pas fier de leur annoncer comment j'avais tout gâché quand j'ai réalisé que le sol était là aussi tout blanc...

— Oui, Nuage Gris, tu as bien compris, quelqu'un est entré ici ! Et… on n'a rien vu parce qu'on s'est tous endormis.

— Les attrape-cauchemars ! Ils ont tous disparu ! a alors remarqué Gazelle Sensée.

— Vent Salé ! me suis-je exclamé.

— Sans doute, a repris Aigle Royal. Il s'est accroupi et a pointé le sol du doigt : Ce sont des traces de talons et d'orteils et Chti Futé nous a raconté qu'il combattait pied nu.

Et là, mon camarade m'a montré les traces de pas sur le sol. Il y en avait devant ce tipi, devant les autres aussi. Nous les avons suivies comme nous avons pu, la tâche n'était pas aisée. Heureusement, dans le ciel, la pleine lune semblait décidée à nous donner un bon coup de main. Les pas enfarinés nous ont amenés… jusqu'au tipi de Grande Ourse Sage !

Nous avions beau être de jeunes guerriers courageux, l'idée de réveiller notre institutrice en pleine nuit ne nous enchantait guère… Mais il fallait bien la sauver avant que Vent Salé ne la scalpe ! C'est Aigle Royal qui s'est finalement dévoué. Nous avons regardé mon ex-pire ennemi se faufiler sous le tipi. Ce garçon n'a finalement pas que des défauts, j'en étais maintenant convaincu. Il est ressorti une minute à peine après, mais l'attente nous a semblé interminable. Il affichait un sourire hilare.

— Venez voir vous-même ! Mais ne faites pas de bruit.

Nous sommes entrés. Rien de spécial sous le tipi, juste notre institutrice endormie… avec un lapin en peluche dans les bras ! Tout autour de son lit étaient disposés les attrape-cauchemars disparus. Soudain, mon œil a été attiré par un petit triangle noir qui dépassait du dessous de sa peau de mouton. Mon carnet ! C'était bien mon carnet ! Tout doucement, je me suis approché, et j'ai tiré…

À cet instant, Grande Ourse Sage s'est retournée. Mon cœur a bondi. Un des pieds de notre maîtresse est sorti de la peau de mouton. Il était couvert de farine…

Le journal de Mipou · 2 mars 2011

AUZOU GAZETTE

ANATOLE, LE HÉROS INDIEN
Anatole Bristol

et ses jeunes amis Félix et Philomène sont partis en classe verte dans le Nord. Ils auraient dû y passer un paisible séjour, mais le cours des évènements a pris une tournure inattendue: vol de chevaux, menace de mort, vol d'objets personnels... Les jeunes héros ont tenté d'élucider les mystères qui entouraient le camp de vacances. "Nous commencions à vraiment avoir la frousse avec tous ces vols" commente Chef Futé, le gérant du camp de vacances. "Les enfants ont réussi à mettre la main sur le coupable avec brio, ils m'ont impressionné !" s'empresse-t-il d'ajouter. Il faut bien admettre que l'enquête n'a pas... la suite p 4

SOPHIE LAROCHE, L'ÉCRIVAINE AUX DOIGTS D'OR

Sophie revient pour nous sur son dernier best-seller, l'occasion pour Auzou gazette de lui poser de multiples questions sur cette ascension incroyable née d'un roman "qu'il ne fallait pas lire"...la suite p 5

Épilogue

VISAGES PÂLES ENTERRER HACHE DE GUERRE

Moi, Anatole Bristol, détective d'école, je peux me vanter d'avoir percé le mystère du camp indien du Nord ! Mes trois camarades et moi avons retrouvé dans le tipi de Mme Appourchaux deux peluches, mon carnet, tous nos attrape-cauchemars et même le calumet de la paix de Chti Futé ! Non seulement Grande Ourse Sage ronflait la nuit, mais elle se levait dans son sommeil sans s'en rendre compte. Nous avons réveillé en douceur notre maîtresse et nous lui avons expliqué la situation. Elle a d'abord été surprise, puis elle a mis un mot sur tous ces mystères : somnambule, notre maîtresse était somnambule ! Elle sortait de son tipi, agissait la nuit, mais ne s'en souvenait pas du tout le lendemain. Dans son sommeil, Grande Ourse Sage revivait la journée écoulée. Parfois, c'était un rêve agréable. C'est ainsi qu'elle a pris mon carnet et le lapin de Félix. Elle nous a avoué qu'en oubliant sa valise, elle s'était privée de son ours en peluche avec lequel elle dort depuis plus de quarante ans. (Eh non, son mari ne se plaint pas !) Mon journal devait remplacer les cahiers d'élèves oubliés dans la valise, et la peluche prendre la place de son doudou. Quand elle cauchemardait, elle affrontait ses peurs : les chevaux et les flèches.

— C'est la première fois que ça m'arrive, nous a expliqué Mme Appourchaux. Du moins je le crois ! Puis elle a ajouté, tout bas : Je vais aller présenter mes excuses à Chti Futé que j'ai accusé à tort, mais, les enfants, je compte sur vous pour… ne pas ébruiter cette affaire.

Pas de souci, Anatole Bristol est un détective qui résout les énigmes mais ne dénonce

pas ! (Bon, cette fois-ci encore, j'avais eu besoin d'un sacré coup de main. Mais avouez que cette énigme était vraiment compliquée !)

Moi, Anatole tout court, j'ai décidé de croire que Vent Salé a vraiment existé. Nous n'avons trouvé aucune trace de lui, pas plus dans le tipi de notre maîtresse que dans les autres. Pourtant, je suis convaincu qu'il s'est battu ici et que son esprit envoûte ces plaines battues aux vents marins.

Au repas suivant, il a été annoncé qu'Aigle Royal, Belette Farceuse, Gazelle Sensée et Nuage qui Rit étaient de corvée de nettoyage du camp pour avoir gaspillé de la farine.

Ah oui, vous avez noté, j'ai changé de surnom indien. Comme ça, tout le monde sait comme je suis heureux d'être ici… pour de vrai !

Ce soir, nous reprenons le bus pour la maison. Mme Appourchaux est impatiente de retrouver ses affaires. Moi, je serais bien resté un peu plus dans le Nord. Ce matin, nous sommes allés nous promener sur la plage de Wimereux, la ville juste à côté. Elle est moins connue que Saint-Tropez, mais franchement, je l'ai trouvée bien plus jolie. Aigle Royal a affirmé qu'il était « cap » de mettre les pieds dans l'eau. Tu parles, elle était à 11 degrés ! Demain, nous nous appellerons de nouveau Anatole et Félix. Mais je crois que nous continuerons à nous parler : Aigle Royal et Nuage qui Rit avoir enterré hache de guerre !

Énigme de vent salé

Note de l'auteure

Chti Futé et Vent Salé sont le fruit de mon imagination. En revanche, il existe réellement dans le nord de la France un camp indien qui accueille des classes vertes. De même, des soldats américains, et donc amérindiens, sont bien venus se battre dans cette région pendant la Première Guerre mondiale.

Quant à Wimereux, j'y ai écrit les plus belles pages de mon enfance… et je continue de m'y baigner ! (Dans une mer à 16 degrés…)

Collectionne les romans
Pas de géant !

Les enquêtes
d'Anatole Bristol
Le gang des farceurs

Les enquêtes
d'Anatole Bristol
Mystères et Visages pâles

Les enquêtes
d'Anatole Bristol
Voler n'est pas jouer

Les enquêtes
d'Anatole Bristol
Marabout et bouts
de mystère

Les enquêtes
d'Anatole Bristol
Anatole contre Arsène Lapin

Les enquêtes
d'Anatole Bristol
6, impasse des Mystères

Les enquêtes
d'Anatole Bristol
Les super pouvoirs
d'Anatole

Collectionne les romans
Pas de géant !

Pardon Simon

Les enfants
du labyrinthe

Seuls dans l'espace

Bienvenue au refuge
Kobikisa !

Le jour où j'ai trouvé
un trésor

Le jour où je suis
devenu détective

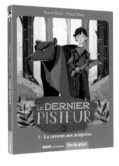

Le dernier pisteur
1- La caverne aux araignées

Le dernier pisteur
2- Le piège de la Manticore

Collectionne les romans
Pas de géant !

L'échange

Peur sur le ranch !

La mystérieuse expédition

Sur la piste de
Renard-de-feu

Princesse LinYao
et la perle d'immortalité

Princesse Tya
et la disparition du pharaon

Princesse Aphaïa
et les mystères
de l'Acropole

Princesse Aurore
et le secret du Roi-Soleil

Esther Aranax

Le journal de Lola

Le journal de Lola
Mon anniversaire
crise de nerfs

Les monuments
de l'ombre
1 - L'énigme
du chevalier

Les monuments
de l'ombre
2 - Le labyrinthe
du passé

Les monuments
de l'ombre
3 - Le secret de la
neuvième heure

Les monuments
de l'ombre
4 - La couronne perdue

Les monuments de l'ombre
5 - La marque
aux cinq pointes

Les monuments de l'ombre
6 - La crypte noire

Table des matières

Un petit mot de l'auteure et de l'illustratrice

Ne vous fiez pas aux apparences ! Même si je suis mariée et mère de trois enfants, je suis restée une grande enfant qui collectionne les peluches, adore le chocolat et les histoires pour enfants qui parlent d'amitié. Au point de m'être mise moi aussi à en raconter !

Sophie Laroche

Un peu d'humour, de poésie, de l'aventure, de la couleur (beaucoup !) et un crayon de bois : voilà la recette de cette histoire qui m'a beaucoup touchée ! Dessiner les frimousses de ces talentueux détectives en herbe m'a beaucoup amusée, j'espère avoir transmis toute la joie de vivre de ces jeunes héros !

Carine Hinder (alias Mipou)